D1094938

Veertiende druk, 1998
Vertaling: L.M. Niskos
Nederlandse rechten Lemniscaat b.v. Rotterdam 1988
ISBN 90 6069 683 2
Tekst: © 1988 Martin Waddell
Illustraties: © 1988 Barbara Firth
Oorspronkelijke titel: *Can't you sleep, Little Bear?*
Oorspronkelijke uitgever: Walker Books Ltd., London
Gedrukt in Italië

Welterusten... Kleine Beer

Martin Waddell

Barbara Firth

Lemniscaat Rotterdam

Er waren eens twee beren.

Grote Beer en Kleine Beer.

De hele dag hadden ze buiten in de sneeuw gespeeld.

Toen de zon onderging en het donker werd,

gingen ze naar hun hol.

Grote Beer bracht Kleine Beer naar bed,

achter in het hol, waar het donker was.

'Ga maar lekker slapen,' zei Grote Beer

en hij ging op zijn gemak in zijn stoel

bij het vuur zitten lezen.

Maar slapen ging Kleine Beer niet.

Grote Beer legde zijn boek neer en liep naar het bed.

'Kun je niet slapen, Kleine Beer?' vroeg hij.

'Ik ben bang.'

'Waarvoor ben je bang, Kleine Beer?'

'Het is zo donker!'

'Donker, waar dan?' vroeg Grote Beer.

'Nou, overal,' zei Kleine Beer.

Grote Beer keek om zich heen.

Ja, het was wel erg donker, daar achter in het hol.

Grote Beer haalde het kleinste lantaarntje dat hij

vinden kon en stak het aan.

'Kijk eens, Kleine Beer, nu is het niet zo donker meer.'

'Dank je wel,' zei Kleine Beer.

'Nu gaan slapen, hoor.'

En Grote Beer ging weer bij het vuur zitten lezen.

Kleine Beer probeerde weer te gaan slapen,

maar het lukte niet.

Grote Beer geeuwde, legde zijn boek neer

en liep naar het bed.

'Kun je niet slapen, Kleine Beer?'

'Ik ben bang.'

'Waarvoor ben je bang, Kleine Beer?'

'Het is zo donker!'

'Donker, waar dan?' vroeg Grote Beer.

'Nou, overal,' zei Kleine Beer.

'Maar ik heb toch een lichtje voor je aangedaan?'

'Zo'n piepklein lichtje helpt niet tegen het donker.'

Grote Beer keek om zich heen. Het was nog wel erg

donker achter in het hol. Dus haalde hij een grotere lantaarn.

'Nu echt gaan slapen,' zei Grote Beer

en hij ging weer bij het vuur zitten lezen.

En o, wat deed Kleine Beer zijn best

om in slaap te vallen.

Maar het lukte niet.

Grote Beer zuchtte,

legde zijn boek neer

en slofte naar het bed.

'Kun je niet slapen,

Kleine Beer?'

'Ik ben bang.'

'Waarvoor ben je bang, Kleine Beer?'

'Het is zo donker!'

'Donker, waar dan?' vroeg Grote Beer.

'Nou, overal,' zei Kleine Beer.

'Maar ik heb al twee lantaarns voor je aangestoken.'

'Het helpt niet. Het is nog steeds donker!'

Toen stak Grote Beer de grootste lantaarn aan

die hij kon vinden

en hing hem op aan het plafond.

'Dit is de allergrootste lantaarn die ik heb,

Kleine Beer.

Je hoeft nu echt niet meer bang te zijn.'

'Dank je wel,' zei Kleine Beer

en hij kroop tevreden onder de dekens.

'Nu moet je heus gaan slapen, hoor,'

zei Grote Beer en hij ging weer terug naar

het vuur om zijn boek uit te lezen.

Maar wat Kleine Beer ook probeerde,

slapen kon hij niet.

Grote Beer bromde, legde zijn boek neer

en sjokte naar het bed.

'Kun je niet slapen, Kleine Beer?'

'Ik ben bang.'

'Waarvoor ben je bang, Kleine Beer?'

'Het is zo donker!'

'Maar ik heb je de grootste lantaarn gegeven die ik vinden kon.

Het is hier nu echt niet donker meer.'

'Nee, hier niet,' zei Kleine Beer,

'maar daar wel!'

En hij wees naar buiten.

Grote Beer zag dat Kleine Beer gelijk had.

Wat moest hij nu doen?

Alle lantaarns van de hele wereld zouden het

daar buiten nog niet licht kunnen maken.

Hij dacht diep na.

Na een poosje zei hij: 'Kom, Kleine Beer.'

'Waar gaan we naar toe?' vroeg Kleine Beer.

'Naar buiten.'

'Maar daar is het zo donker.

En ik ben bang voor het donker!'

'Je hoeft niet bang te zijn.'

Grote Beer nam Kleine Beer bij de hand,

en samen gingen ze het hol uit.

O, wat was het daar donker.

'Ik ben zo bang!' piepte Kleine Beer

en kroop dicht tegen Grote Beer aan.

Grote Beer nam hem in zijn armen

en wiegde hem zachtjes heen en weer.

'Kijk eens,' zei Grote Beer. En Kleine Beer keek.

'Kijk, ik heb de maan voor je gehaald.

De maan en al die flonkerende sterren.'

Maar Kleine Beer hoorde het niet meer.

Hij was al in slaap gevallen,

veilig in Grote Beers armen.

Voorzichtig droeg Grote Beer hem naar binnen.

Met Kleine Beer dicht tegen zich aan,

las hij eindelijk zijn boek helemaal...

UIT